P9-EMJ-809

RICHMOND HILL
PUBLIC LIBRARY

JUN 1 7 2013

CENTRAL LIBRARY
905-884-9288

BOOK SOLD
NO LONGER R.H.P.L.
PROPERTY

ih +15.⁵⁰

Top modèle

RICHMOND HILL
PUBLIC LIBRARY

JUN 1 7 2013

CENTRAL LIBRARY
905-884-9288

Catalogage avant publication de Bibliothèque et Archives
nationales du Québec et Bibliothèque et Archives Canada

Mercier, Johanne

Top modèle

(Le Trio rigolo ; 26)
Pour les jeunes de 10 ans et plus.
ISBN 978-2-89591-172-2

I. Cantin, Reynald. II. Vachon, Hélène, 1947- . III. Rousseau, May, 1957- .
IV. Titre. V. Collection: Mercier, Johanne. Trio rigolo ; 26.

PS8576.E687T66 2013   jC843'.54   C2012-942151-0
PS9576.E687T66 2013

Tous droits réservés
Dépôts légaux : 1er trimestre 2013
Bibliothèque nationale du Québec
Bibliothèque nationale du Canada
ISBN 978-2-89591-172-2

© 2013 Les éditions FouLire inc.
4339, rue des Bécassines
Québec (Québec) G1G 1V5
CANADA
Téléphone : 418 628-4029
Sans frais depuis l'Amérique du Nord : 1 877 628-4029
Télécopie : 418 628-4801
info@foulire.com

Les éditions FouLire reconnaissent l'aide financière du gouvernement
du Canada par l'entremise du Programme d'aide au développement de
l'industrie de l'édition (PADIÉ) pour leurs activités d'édition.

Elles remercient la Société de développement des entreprises culturelles du
Québec (SODEC) pour son aide à l'édition et à la promotion.

Elles remercient également le Conseil des Arts du Canada de l'aide accordée
à leur programme de publication.

Gouvernement du Québec – Programme de crédit d'impôt pour l'édition de
livres – gestion SODEC.

IMPRIMÉ AU CANADA/PRINTED IN CANADA

Top modèle

AUTEURS ET PERSONNAGES :

JOHANNE MERCIER • *Laurence*
REYNALD CANTIN • *Yo*
HÉLÈNE VACHON • *Daphné*

ILLUSTRATRICE :

MAY ROUSSEAU

Le Trio rigolo

LAURENCE

« *Les profs devraient tellement consulter l'horaire télé avant de nous refiler des devoirs...* »

C'est la folie !

À l'école, à la maison, au super-marché, à la radio, à la télé, dans l'autobus, au centre commercial, au coin de la rue, on en parle partout ! Depuis des semaines, les médias nous bombardent de promotion, de photos, de potins. Tout le monde attend l'arrivée fracassante de l'adaptation québécoise de la série télé *My Lovely Sunny Sweet American Beauty* ! Qu'on a traduit ici par : *Beauté fatale* !

On nous promet d'être happés. On a tous hâte d'être happés.

Le concept de l'émission est simple. Huit top modèles, des filles judicieusement sélectionnées, relèveront sous nos yeux des défis qui feront appel à leur courage, leur générosité, leur grandeur d'âme! Cette fois, pas question d'accorder des points pour l'éclat de leur sourire ou leur déhanchement étudié. Pas question non plus de les voir parader en bikini. Pendant six semaines, les filles se dépasseront et ce sera à nous, téléspectateurs fidèles, assis dans notre salon, de choisir QUI parmi ces beautés infinies mériterait le titre tant convoité de TOP MODÈLE DE L'ANNÉE.

Un peu bizarre, ce titre, quand j'y pense: top modèle de l'année... On dirait un concours de voitures, mais bon.

En fait, je l'avoue, le concept ne m'emballait pas trop, au départ. Certainement pas autant que mon amie

Geneviève, avec qui j'ai eu une bonne discussion la première fois que j'ai entendu parler de *Beauté fatale*.

– Encore une série avec des belles filles ! Ça m'énerve tellement...

– L'émission veut justement montrer que les grandes beautés peuvent elles aussi accomplir de grandes choses, Laurence ! Qu'elles peuvent être des filles d'action...

– Elles ont pas besoin qu'on les mette en valeur. Elles le sont déjà !

– C'est pas toujours facile pour nous, les belles filles. On nous aime d'abord pour notre apparence, pas pour ce qu'on est vraiment.

– Ge, est-ce que tu viens de dire « nous, les belles filles ? »

– Oui, pourquoi ?

– Tu parles de nous deux ou juste de toi?

– C'est pas important.

Elle parlait d'elle.

Bref, l'émission sera diffusée tous les lundis, même heure, même chaîne. Et finalement, j'ai bien hâte de voir ça.

La grande première a lieu ce soir, mais cet après-midi, dans la classe, c'est le drame. Une rébellion se prépare. La grogne monte à mesure que la liste des travaux s'allonge. Monsieur Lépine semble ignorer que c'est un soir de grande première. Les profs devraient tellement consulter l'horaire télé avant de nous refiler des devoirs!

Ce n'est pas seulement moi qui le dis.

Gamache aussi.

Croyez-le ou non, monsieur Lépine nous demande de remettre demain matin le plan de notre exposé oral, la correction de la dictée et la carte des États-Unis coloriée avec une couleur différente pour chaque État! Reste à lui dire que ce ne sera vraiment pas possible. Qui a 52 crayons de couleurs différentes dans son étui, de toute manière?

La première personne à s'indigner, c'est évidemment la grande Marie-Michelle, présidente du conseil étudiant, qui ne dort plus depuis trois nuits tellement elle a hâte d'écouter la première de *Beauté fatale*. Son rêve: participer à l'émission. Son angoisse: qu'on ne diffuse plus la série quand elle aura l'âge de s'inscrire. Son ambition: gagner, devenir mannequin, faire fortune, avoir une villa et partir loin. Ma peur: qu'elle reste ici.

– Mais monsieur Lépiiiiine, gémit Marie-Michelle. On n'aura jamais le temps de tout faire… on est lundiiii!

– Et quel est le problème avec le lundi?

– C'est la premièèère de *Beauté fataaale*!

Le ton de Marie-Michelle est larmoyant. Elle en met. Comme toujours. Mais pour une fois, on est tous d'accord avec elle. On a bien l'intention de la soutenir.

– TOUT LE MONDE VA ÉCOUTER *BEAUTÉ FATALE* ce soir, monsieur Lépine! renchérit Geneviève avec conviction.

– Ah bon? fait simplement monsieur Lépine.

Il nous provoque. J'en suis certaine. Il faudrait vivre sur une autre planète pour ne pas avoir entendu parler de *Beauté fatale*.

Et encore...

– Qu'est-ce que tu proposes, Marie-Michelle? demande notre prof, qui devine sans doute la réponse.

– On devrait avoir congé de devoirs! suggère spontanément Max Beaulieu, sans lever la main.

– Pas seulement congé de devoirs, précise Mathieu Vézina. Rien à étudier, rien à remettre demain!

– C'est simple, on laisse nos sacs à l'école! conclut Geneviève en fermant son agenda.

Monsieur Lépine reste silencieux.

Il n'a pas accepté la proposition, mais il n'a pas dit non. Réaction d'enseignant capable de faire naître de grands espoirs chez ses élèves.

Tous les yeux sont braqués sur lui.

– Congé de devoirs pour écouter *Beauté fatale*... C'est bien ce que vous voulez ?

Le oui est unanime.

– Je vais faire une entente avec vous...

Toujours inquiétant, ce genre de phrase. La partie n'est pas gagnée.

– Vous allez m'écrire en 50 mots pourquoi vous vous intéressez à cette émission et en quoi elle vous semble importante. Si vos arguments sont solides, j'accepte le congé de devoirs.

Longs soupirs.

La grande Marie-Michelle, présidente du conseil étudiant, semble profondément contrariée. Elle lève la main en faisant la moue.

– Un autre problème, Marie-Michelle ?

– C'est que...

– Oui ?

– L'émission *Beauté fatale* est diffusée tous les lundis, pendant six semaines. Si nos arguments sont solides, est-ce qu'on pourrait avoir congé de devoirs tous les lundis ?

Misère !

À trop en demander, on risque de tout perdre. Quelqu'un peut me dire qui a bien pu l'élire présidente de la classe, celle-là ? Pas moi. J'ai voté pour Gamache qui ne s'était même pas présenté, c'est vous dire…

Monsieur Lépine ne se démonte pas.

– Vous voulez avoir congé de devoirs et d'étude tous les lundis, donc ?

On approuve. On lui dit que ce serait vraiment trop génial. Que ça nous aiderait beaucoup. Que ce serait une manière de nous motiver dans nos études et de lutter contre le décrochage scolaire.

– L'émission est diffusée pendant six semaines ? demande monsieur Lépine.

– Six semaines, ça passe très vite ! précise Geneviève.

– Je l'espère pour vous, tranche notre prof, sourire en coin.

Je n'aime pas ce sourire.

– Vous me remettez la carte géographique, le plan de l'exposé oral et la correction de la dictée demain matin !

Qu'est-ce que j'avais dit ? On aurait dû s'en tenir à un seul soir !... La négociation est rompue. On a tout perdu.

– Et pas de billets de votre maman qui me raconte que vous étiez malade ou que le chien a mangé la carte géographique. Compris, monsieur Gamache ?

– J'ai pas de chien, monsieur.

La discussion est close.

La cloche sonne. Nos sacs n'ont jamais été aussi lourds. Notre moral aussi bas.

– Nous faire ça, le soir de la première de l'émission *Beauté fatale*, c'est tellement pas pédagogique, s'indigne la grande Marie-Michelle. Je vais me plaindre!

Elle ne précise pas auprès de qui elle va déposer sa plainte. Je suppose qu'elle ira tout raconter à sa mère et que sa mère, comme la mienne, lui répondra de faire ses devoirs et puis c'est tout.

Sur qui pouvons-nous compter quand nous vivons pareil drame?

Personne!

Gamache m'énerve. Il ne me parle que de la belle Rebecca Capuccina. La top modèle favorite de l'émission. C'est elle qui, selon lui, devrait remporter le grand prix.

Il vient d'entrer au dépanneur pour s'acheter un sac de nachos au BBQ diabolique, mais pour le moment, il est incapable de détacher ses yeux de la une d'une revue à potins.

– Trop belle, Capuccina ! Regarde, Laurence !

Je jette un œil par-dessus l'épaule de Gamache. Capuccina est une beauté parfaite, personne ne peut le nier.

– Qui peut s'appeler Rebecca Capuccina ? C'est sûrement pas son vrai nom.

– Jalouse, Laurence… Jalouse…

– Pfft !

– Regarde ses yeux! As-tu déjà vu des yeux verts, bleus, jaune doré comme les siens?

– La photo est retouchée avec Photoshop, Guillaume. C'est même pas une vraie couleur.

– C'est certain que je vote pour elle!

– Tu tombes dans le piège! Tu veux faire gagner la plus belle avant de l'avoir vue relever des défis. Sans même la connaître.

– Je demande pas mieux que de la connaître, moi! Penses-tu qu'elle va donner son adresse courriel pendant l'émission?

– C'est trop injuste, la beauté.

– Si tu participais à l'émission, je voterais pour toi, Laurence.

– C'est déjà mieux.

À la maison, on a prévu souper dans le salon, pour regarder la première de *Beauté fatale*! Jamais je n'aurais cru qu'une émission de télé pourrait réunir ma famille au grand complet un soir de semaine, avec des fettuccines carbonara. On est tous là. Mon grand frère Jules, mon petit frère Hugo, mon père, ma mère, ma grand-mère et moi.

C'est un événement.

Ma grand-mère a lu tous les magazines concernant la série. Elle connaît les candidates comme si c'étaient ses filles. Elle répète qu'elle les aime toutes égal.

Ce soir, on nous promet bien des émotions. Du rire, des larmes, des surprises. Et puis, ma grand-mère a apporté ses extraordinaires biscuits fondants triple chocolat.

Juste pour les biscuits, j'adore cette émission.

– On ne va quand même pas souper devant la télé tous les lundis soirs, nous prévient ma mère en déposant les plats sur la petite table à café. Les prochaines émissions, on les enregistrera...

Mon frère sursaute.

– Hein? Les enregistrer? Jamais de la vie! Faut vivre l'événement en même temps que le reste du monde, maman!

– Surtout qu'il faut voter! On n'a pas le choix de l'écouter en direct!

– Merci, grand-maman! T'es la meilleure!

– À moins qu'on place la télé dans la salle à manger pendant six semaines?

C'est ma proposition.

– Ou qu'on déménage la salle à manger dans le salon et le salon dans la salle à manger? Toi qui aimes le changement, maman!

C'est l'idée de mon frère.

– Je peux démolir le mur qui sépare les deux pièces, si vous voulez…

C'est l'humour de mon père.

– ÇA COMMEEEEENCE ! hurle mon petit frère Hugo qui, dans son enthousiasme débordant, renverse son verre de lait sur le divan.

Bravo ! Moment parfait pour faire une gaffe !

Musique d'ouverture.

– *Cool*, la musique…

– Chuuut !

– Hugo, ramasse ton dégât !

– À l'annonce !

– Tout de suite !

– Est-ce qu'on peut monter le son ? demande ma grand-mère.

Et comme chaque fois que quelqu'un demande de monter le volume… la télécommande disparaît.

– Hugo, as-tu la télécommande?

– Non.

– Regarde sous les coussins.

– Pas là.

– Grand-maman, tu serais pas assise sur la télécommande?

Elle vérifie.

– Oh! Oui! Hi! Hi! Hi! Hi!

Génial! On a raté tout le début!

– C'est qui, elle? demande Jules. Sûrement pas une top modèle!

J'expire bruyamment.

– Si on était juste un peu attentifs, on saurait qui c'est!

L'animateur survolté s'agite devant les photographies géantes des candidates. Petite accalmie dans notre salon pendant qu'une vidéo nous présente les top modèles. Leur enfance. Leurs intérêts. Leur famille. Leur maison. Leur cour d'école. Leur chien. Leur chat. Leur pinson.

– C'est plate!

– Va jouer dans ta chambre, Hugo!

– Non.

Ding!

Alerte de textos sur le cellulaire de mon frère, maintenant. Ses amis qui commentent l'émission...

– Personne aime ça! annonce Jules.

– Franchement, ça vient juste de commencer!

Ding!

– Ah! Sauf Bobby Poitras. Mais lui, c'est parce que sa demi-sœur est candidate...

Ma grand-mère est vivement impressionnée :

– Tu connais une top modèle ?

– Rebecca Capuccina, c'est la fille de la blonde du père de mon chum Bobby.

À mon tour de sursauter.

– Tu connais Capuccina ? Gamache va perdre connaissance quand je vais lui dire ça...

Elle apparaît justement à l'écran.

– C'est elle !

– Jolie... fait ma mère.

– Y a pas beaucoup de laiderons, ajoute mon père.

Je fais enquête.

– Capuccina, est-ce que c'est son vrai nom, Jules ?

– Attends…

Il envoie un texto à Bobby Poitras pour vérifier.

Ding !

– Elle s'appelle Sonia Giguère.

– Ha ! Je le savais !

– Demande-lui la vraie couleur de ses yeux !

– Non.

– S'il te plaît…

Il pitonne.

Ding.

– Elle porte des lentilles de couleur…

– Faut que j'appelle Gamache ! Tellement naïf, lui, des fois.

28

Ding.

– Erreur. C'est la vraie couleur de ses yeux. C'est Marie-Jo Bilodeau qui porte des lentilles mauves.

– C'est qui, Marie-Jo Bilodeau ?

– La belle petite Chinoise ! répond ma grand-mère, documentée.

Pause publicitaire.

Déjà ?

– C'est une excellente émission ! s'emballe ma grand-mère.

Comment peut-elle faire une telle affirmation ? Personne n'a écouté.

Le téléphone sonne. C'est Geneviève. Elle veut savoir ce que je pense des candidates. Si j'aime l'animateur. Si j'ai ri quand il a présenté la quatrième top modèle, qui a failli débouler les escaliers.

– Moi, j'adore ça! fait Geneviève, tout énervée. Toi?

– Euh… je…

– Bon, je te laisse, ça va recommencer. Tu penses voter pour qui?

– J'attends de les voir relever leurs défis, Ge.

– Ah oui, c'est vrai. Les défis…

Pendant la pause, mes parents ont promis de rester sages et d'écouter l'émission. Hugo aussi. Jules a même accepté de fermer les alertes de ses textos.

Ils ont tenu leur promesse pendant cinq minutes. Enfin, jusqu'à l'arrivée impromptue de… ma tante Doris!

– C'est pas vrai? a-t-elle crié en faisant irruption dans le salon. Vous écoutez *Beauté fatale*, vous aussi? TOUT LE MONDE est devant la télé, ce soir!

– Viens t'asseoir, Doris.

– Pour regarder la télé? Non merci.

– Allez...

– Une émission qui véhicule une image dégradante de la femme? Jamais!

– C'est pas ce que tu crois...

– Maman, parle moins fort, s'il te plaît!

– Biscuits, Doris? chuchote ma mère.

– Et prendre deux kilos? Sûrement pas!

Elle s'assoit avec nous, s'installe confortablement et avale trois biscuits.

À la télé, c'est le délire. La foule applaudit. Une des huit candidates est en larmes. Dans la salle, on nous montre ses parents qui s'étreignent. L'animateur semble bouleversé. Évidemment, dans notre salon, personne n'a aucune espèce d'idée de ce qui est arrivé.

La top modèle ouvre une enveloppe en tremblant.

Elle a vraiment l'air sous le choc.

– Pourquoi elle pleure, la fille ? demande Hugo.

– Je sais pas. Monte le volume encore un peu, grand-maman...

Ma grand-mère saisit la télécommande, se trompe de bouton et change de chaîne.

– Aaaaah nooooooon !

– Trop de boutons, là-dessus !

– Lance-la-moi, grand-maman !

Elle obéit à Jules. La télécommande percute la lampe de table au passage et aboutit dans le pot d'une plante.

– Vite, Jules! On perd tout!

On revient à l'émission.

Mais trop tard.

On ne saura jamais pourquoi le visage de la blonde était inondé de larmes... Gros plan sur l'animateur qui annonce les défis que les top modèles relèveront la semaine prochaine.

– Pourquoi elle pleurait, la fille?

– On sait pas, Hugo. On s'en fout.

– On s'en fout qu'elle pleure?

– Chuuuut! On rate toujours tout!

– Trois défis d'envergure... annonce maintenant Normand Bordeleau.

– Je l'aime donc, moi, Normand Bordeleau, s'exclame grand-maman.

– C'est pas lui qui animait l'émission *Pamplemousse et café crème*?

– Oui, maman. Chuuuuut!

On apprend que les candidates doivent choisir entre cuisiner et servir la soupe populaire aux démunis du quartier, dépolluer les berges de la rivière Saint-Malo ou amasser des fonds pour les soins aux orphelins de l'hôpital San Joselito del Marco.

Zoom très rapproché sur les candidates qui font leur choix devant nous, en se mordillant les lèvres. Musique dramatique.

La caméra plonge dans leurs regards de feu.

– Faut absolument voter pour Rebecca Capuccina! lance mon frère.

– Faut surtout attendre de voir comment elle va se débrouiller pendant son défi…

– Peu importe le défi, Laurence! Bobby nous a demandé de voter pour elle.

Générique de fin.

– Aaaah! Quelle bonne émission! s'emballe ma grand-mère. On s'est bien amusés, non? On l'écoute ensemble, la semaine prochaine?

Je le sais maintenant et je vais m'en souvenir toute ma vie: écouter la première d'une émission en famille, ce n'est vraiment, mais vraiment pas une bonne idée. J'aurais tellement dû aller chez Geneviève, ou chez Gamache ou même chez la grande Marie-Michelle. N'importe où!

Maintenant, je dois passer aux choses sérieuses…

– As-tu 52 crayons de couleur, Hugo ?

– Oui, même que j'en ai plein !

– Va les chercher, s'il te plaît.

– Mon étui est à l'école.

Ce n'est décidément pas une bonne soirée.

Aujourd'hui, mes amis ne parlent que de *Beauté fatale*. La grande Marie-Michelle est tout énervée. Elle commente ceci et cela et la couleur du fond de teint de telle fille et la longueur des cils de l'autre. Elle a tout vu. Elle a tout noté. Elle est emballée.

Geneviève critique l'animateur, qu'elle trouve pourri.

Gamache et Max ont de grands sourires béats en relatant les moindres gestes de la belle Rebecca Capuccina.

Moi ?

Je ne commente rien. Je ne peux pas, pour les raisons que vous connaissez. Mais je trouve tout de même une manière de me rendre intéressante...

– Devinez quoi ? Mon frère Jules connaît Rebecca Capuccina...

Je n'ai jamais vu des yeux s'agrandir de la sorte. Ceux de Gamache, évidemment...

– Ma Rebecca ? Il lui a déjà parlé ? C'est une de ses amies ?

– Disons que c'est comme un genre d'amie presque proche.

– Comme un genre d'amie presque proche ? grimace Gamache. Qu'est-ce que ça veut dire, exactement ?

– Assez proche pour savoir des trucs personnels...

– Exemple ?

– Ah... moi, je dis rien. C'est confidentiel.

– Tu vas parler, Laurence Vaillancourt !

– Qu'est-ce que tu me donnes si je...

– Je te donne un bouillon, si tu parles pas !

Il me jette dans le banc de neige. Torture glaciale classique de Gamache. Il me sort *in extremis* du talus, quand je jure de tout révéler.

– Capuccina, c'est pas son vrai nom. Elle s'appelle Sonia Giguère. Je sais où elle habite. Et vert, bleu, jaune doré, c'est la vraie couleur de ses yeux.

Il soupire.

Il enlève même la neige sur mon manteau pour se faire pardonner. Mais quand j'ajoute la dernière information, Gamache est foudroyé.

– En couple depuis deux ans? Ma Rebecca? Noooooon!

Ge, Max et Marie-Michelle sont tordus de rire. Pauvre Gamache…

– Qui vient écouter *Beauté* chez moi, la semaine prochaine? propose la grande Marie-Michelle.

Avant même que Ge, Max et Gamache ne répondent, je saisis l'occasion. Sans réfléchir, sans consulter personne.

– Moi, j'y vais! J'arrive à quelle heure?

Lundi. Je soupe en vitesse.

Un sandwich jambon-laitue-mayo, un verre de lait et c'est tout. Flotte une odeur de gratin que j'essaye d'oublier. Pas grave. Il faut ce qu'il faut si on veut écouter une émission en paix!

Ma grand-mère arrive avec le dessert et avec ma tante Doris, qui affirme avoir adoré le concept de l'émission, finalement. Elle dit qu'elle a hâte de voir comment les filles vont se débrouiller.

Je mets mon manteau.

Mon foulard. Mes bottes. Mes mitaines…

– Bonne émission, tout le monde ! Bonne soirée !

– Quoi ? Tu ne restes pas avec nous ? se désole ma grand-mère.

– Non, grand-maman. Je vais l'écouter chez une amie.

– Ah.

Je file !

La liberté ! Enfin !

Je sonne chez la grande Marie-Michelle, qui est toute seule chez elle.

J'entre. Je place mes vêtements dans le placard. Je mets des chaussons. Je m'assois sur le divan de cuir le plus confortable au monde.

Aaah! Quel bonheur! Marie-Michelle me sert un verre de jus de canneberge, mais me prévient de ne pas le poser sur la table pour éviter de faire des marques.

Ge, Gamache et Max n'ont pas pu venir. Dommage...

– Ça commeeeence! crie la grande Marie-Michelle.

Ici, personne ne renverse de verre de lait sur le divan, personne ne reçoit de textos, personne ne passe de commentaires aux deux secondes et il n'y a pas de grand-mère qui exerce son fabuleux lancer de la télécommande non plus.

Une maison normale !

Beauté fatale est en ondes depuis 15 minutes. Marie-Michelle est vraiment absorbée par l'émission. Elle n'a pas encore dit un mot. La top modèle numéro huit sert une soupe populaire aux démunis du quartier. Le problème, c'est qu'il y a tellement de curieux qui assistent au tournage que les pauvres affamés doivent attendre dehors au grand vent. L'animateur a l'air un peu dépassé par les événements, lui aussi. Il s'excuse auprès de tout le monde et même des téléspectateurs.

Je soupire.

– C'est un peu ridicule, tout ça !

– Chuuuut, Laurence !

Je me demande ce que ma grand-mère a apporté pour dessert. Un truc au chocolat, sûrement... Pourvu que ce ne soit pas son gâteau moka-choco. Et pourvu qu'il en reste quand je vais rentrer. Non, je n'ai aucune chance. Si c'est son moka-choco, il n'en reste déjà plus.

Tant pis. Au moins, ici, je peux écouter l'émission tranquille. Je n'ai pas tout perdu.

La top modèle en a plein les bras et ne sait pas où donner de la tête. Gros plan sur un clochard qui fait la file, puis sur la top modèle qui s'essuie le front avec un linge à vaisselle.

Ma tante Doris doit s'enflammer.

Deux top modèles arrêtent la circulation et demandent des sous aux automobilistes, mais causent un embouteillage monstre qui fait pester tout le monde.

C'est vraiment raté.

– Marie-Michelle, est-ce que…

Elle place son index sur sa bouche. Le message est clair. Pas le droit de parler.

La candidate numéro cinq rage, tape du pied et casse son talon aiguille sur le trottoir.

– Ah! c'est pas vrai! Pauvre fiiiiilllle! Tout va tellement mal…

– C'est juste un talon, Marie-Michelle…

– As-tu une idée du prix de ses souliers, Laurence? Une fortuuuune!

Les démunis n'ont toujours pas leur soupe. Les automobilistes klaxonnent. L'animateur bafouille. Ça va mal finir. Si j'avais un cellulaire, j'enverrais un texto à mon frère. À l'heure qu'il est, ils doivent tous être crampés de rire dans le salon.

L'animateur annonce qu'on pourra voter pour notre top modèle préférée dans quelques minutes, mais il oublie de nous donner le numéro de téléphone pour le faire.

Images des candidates en miettes. Pause publicitaire.

– C'est vraiment trop touchant, soupire Marie-Michelle. Les filles y mettent teeeeellement de cœur. On en tire de vraies leçons...

Elle a raison. J'ai tiré une grande leçon, ce soir.

– Faut que je rentre, Marie-Michelle!

– Hein? Pourquoi? Il reste encore 30 minutes!

J'enlève mes chaussons. Je mets mon manteau.

Mon foulard. Mes bottes. Mes mitaines...

Je cours en direction de chez moi.
Pourvu qu'il reste du gâteau et pourvu
que tout le monde soit là...

YO

«Debout à côté de la limousine blanche, le petit monsieur porte un habit coloré et une large cravate. Ses souliers brillent et son menton est proéminent, avec un trou au milieu…

On dirait le maire de Québec!»

Depuis qu'on est un trio, Mo, Ré et moi, on a pris l'habitude de se donner rendez-vous chaque matin, au parc au bout de la rue[1]. De là, on file vers l'école. Comme ça, nos journées commencent sur un bon pied...

Sur des roulettes !

Ré, c'est Rémi, mon ami de toujours. Moi, c'est Yo, pour Yohann. Et Mo, c'est Maurice, un « p'tit » de quatrième année qu'on a adopté parce qu'il joue de la

---

1. Voir *Au bout de la rue*

batterie[2]. Il est super bon pour son âge. En plus, il nous ressemble beaucoup. Et surtout, il pense comme nous...

Mais en plus jeune.

Tous les trois, on fait de la musique et on s'appelle Les KaillouX... Mo à la batterie. Ré, c'est le chanteur. Et moi, je joue de la guitare et je prends des cours chez madame Élyse, qui est d'accord pour m'aider dans mes chansons de KaillouX... à condition que je travaille un petit morceau : *La légende d'Asturias*, extrait de *La suite espagnole* d'Isaac Albéniz, un musicien du 19e siècle.

Albéniz, franchement, c'est pas mal loin du répertoire des KaillouX. J'ai beau répéter à madame Élyse que le classique, « c'est pas not' fort ! », elle me répond que tous les bons guitaristes sont passés par là.

---

2. Voir *Méchant Maurice* !

Alors, moi, je passe par là !

Le samedi matin aussi, Ré et moi, on se retrouve au parc. Mais là, c'est pour se rendre chez Mo, dans son sous-sol, pour nos répétitions des KaillouX... et aujourd'hui, justement, c'est samedi !

J'attends Ré dans le parc, avec ma guitare et ma planche à roulettes. Je suis arrivé très tôt parce qu'il fait beau. Le parc est désert. J'en ai pour une heure à attendre. Je m'assois sur un banc, je sors ma guitare et j'en profite pour répéter ma *Légende d'Asturias*.

Pas facile, le morceau. Chaque fois que je le joue, au bout de deux minutes, je suis tout crispé. Madame Élyse me dit de me détendre « le gros nerf ». Mais moi, comme vous savez, j'ai le gros nerf plutôt tendu... en général.

Heureusement, elle m'a donné une version pour débutants. En *la* mineur. Comme ça, je peux jouer sur les notes basses de ma guitare, au bout du manche. Pas besoin de faire des accords barrés.

Et surtout, ça ménage mon « gros nerf » !

Seul dans le parc, penché sur ma guitare, je joue de mémoire ma *Légende d'Asturias*. Par ce beau matin de juin, je me sens étrangement détendu. Sous mes doigts, la mélodie coule aisément... comme quand madame Élyse me l'a jouée la première fois. Sans que j'y pense vraiment, les notes défilent toutes seules et déjà, j'accomplis l'accord final, dont la jolie tonalité me surprend. Enfin, pendant que mes cordes vibrent encore, je lève les yeux...

Dans le parc désert, le silence a repris sa place. Ré n'est toujours pas là… mais je sens, derrière moi, comme une présence nouvelle.

Lentement, je me retourne… et je sursaute!

Sous un grand arbre, une femme aux lèvres très rouges et vêtue d'une longue robe luisante est là, debout dans l'ombre. Masquée par des lunettes noires, elle doit être deux fois plus grande que moi!

Depuis combien de temps est-elle là? Je n'en sais rien. Est-ce ma *Légende* qui l'a fait apparaître? La peau blanche de son visage semble presque transparente et ses cheveux noirs, parfaitement coiffés, sont ornés d'un diadème…

On dirait Blanche-Neige!

Derrière elle, une longue limousine blanche est stationnée, brillante dans le soleil du matin. Comme un carrosse!

Soudain, la Blanche-Neige, devant moi, s'anime. Elle avance dans ma direction. Progressivement, elle est baignée de soleil, des pieds jusqu'à la tête. Et quand enfin son visage est envahi de lumière, je vois qu'elle me sourit.

Maintenant immobilisée à quelques pas de moi, l'étrange apparition me paraît irréelle. J'aurais envie de la découper avec des ciseaux et de la recoller dans un décor de Walt Disney. J'ai l'impression que c'est un fantôme qui va disparaître d'une seconde à l'autre...

Eh non! Elle reste là, la tête plongée dans le ciel bleu. Derrière ses lunettes soleil, j'entrevois de grands yeux maquillés qui me regardent avec tendresse... pendant que ses lèvres rouges me sourient toujours.

Je me sens hypnotisé par l'étrange présence.

Tout à coup, non loin, une voix s'élève:

– Madame Fabiola! Vous allez gâcher votre maquillage! Ne restez pas au soleil comme ça! Ce n'est pas bon pour votre teint. Je vous en prie, revenez.

Celui qui a parlé, derrière, c'est un petit monsieur rond comme une pomme et grand comme trois. Debout à côté de la limousine blanche, il porte un habit coloré et une large cravate. Ses souliers brillent et son menton est proéminent, avec un trou au milieu...

On dirait le maire de Québec!

Obéissante, la Fabiola fait demi-tour et va se réfugier à l'ombre. Je la regarde se déhancher. Dans son dos, sa chevelure noire ondule et bondit à chacun de ses pas. Une fois sous l'arbre, elle se retourne vers moi, une main sur la hanche... comme si elle voulait me vendre sa robe.

Enfin, levant un long doigt, elle fait signe au petit gros de venir la rejoindre, tout en prononçant, à l'anglaise :

– *Rodger* !

Prompt à s'exécuter, *Rodger* se dirige vers la grande dame.

Plus il s'approche, plus il me paraît petit et rond. Le bonhomme s'immobilise finalement à côté de la transparente Fabiola, qui se penche élégamment vers lui, en pliant légèrement les jambes. Son corps, avec sa robe, dessine un grand « S ». L'autre fait basculer son menton vers la gauche afin de tendre l'oreille. Une main en portevoix, Fabiola lui chuchote quelque chose. Il écoute sans me quitter des yeux. Peu à peu, un minuscule sourire se dessine dans le creux de son visage, entre le nez et le menton. L'idée qui lui est soufflée semble le remplir de satisfaction. On dirait qu'il se gonfle comme un ballon de plage!

Enfin, sans plus s'occuper de lui, Fabiola se déplie et fait battre ses longs cils dans ma direction, comme pour me faire ses adieux. Après avoir pivoté sur elle-même, elle s'éloigne, plus sinueuse que jamais... et traverse la rue, où elle s'illumine de soleil une dernière fois. Enfin, elle se plie en trois et disparaît dans son grand carrosse blanc.

Me voilà tout seul avec *Rodger*... visiblement rempli d'orgueil.

Va-t-il exploser?

Il me regarde des pieds à la tête, comme si j'étais une proie à dévorer. Enfin, il sort un bâton de dynamite de sa poche de veston. Avant que je puisse réagir, il porte l'objet à sa bouche et l'allume avec son briquet en or...

Tout va trop vite.

Dans mon cas, c'est plutôt rare.

Cigare à la bouche, l'homme s'avance encore vers moi... Non! Il plane vers moi! Je ne vois pas ses jambes trop courtes, en dessous. Enfin, inondé de soleil, le ballon s'immobilise. Nous sommes nez à nez. Même hauteur!

Soudain, un billet de 20 dollars s'interpose entre nous.

– Voilà, petit, c'est pour toi...

– « Petit » vous-même! je rétorque.

– C'est madame Fabiola qui te l'offre... à cause de ton morceau de guitare. Tu l'as émue. Ça lui a rappelé son pays.

– C'est qui, elle?

– Une top modèle... une Espagnole. Super riche.

– Et vous, vous êtes qui?

– Brûlé... Roger Brûlé. J'accompagne Fabiola au Québec. Ce matin, elle doit faire quelques photos ici, dans le parc... pour *QuéBelle*!

– Quéquoi?

– *QuéBelle*... un magazine de mode...

Puis, se gonflant un peu plus, le *Rodger* ajoute:

– Mon magazine!

– Vous êtes drôlement habillé. C'est ça, la mode?

– Ha! Ha! Ha! Tu es comique, toi. Tiens, continue-t-il en brandissant son argent, achète-toi des bonbons.

– Pas des bonbons! je lance en lui arrachant le billet. Des cordes de guitare!

Ma réponse l'étonne un peu. Il se dégonfle d'autant. Puis, se remplissant à nouveau, il recommence à réfléchir. Enfin, pointant son trou de menton vers ma planche à roulettes, il me demande:

– Tu fais du *skate*?

– Ouais.

– L'hiver, tu dois faire du *snow*, non?

– Ouais.

– Ça te dirait de devenir mannequin pour *QuéBelle*?

– Quoi?

– Faire des photos de mode, ça te tenterait? On est en train de préparer notre numéro automne-hiver.

– C'est le mois de juin, là!

– Dans la mode, on doit tout faire six mois d'avance. Mon équipe va être là dans une heure pour Fabiola... ça te tente ?

– J'ai pas envie de faire le p'tit nain de Blanche-Neige ! je rétorque, à bout d'arguments. Elle en a déjà un !

– Ha ! Ha ! Ha ! Je vois que tu es un petit rigolo, toi.

M'énerve !

– Comment tu t'appelles ? continue-t-il.

– Yo.

– Yo ! triomphe-t-il. Parfait ! Exactement ce que ça nous prend ! Yo !

C'est à ce moment qu'arrive mon ami Ré :

– C'est qui, ce clown ? me demande-t-il.

– *Rodger*! je réponds simplement.

– Pourquoi il fait «Yo!» comme ça?

– Il est content, j'pense. C'est le pro-priétaire de la revue *QuéBelle*.

Apercevant le nouveau venu, *Rodger* me demande:

– Lui, c'est qui?

– Ré.

– Ré?

– Ouais, Ré... Y'a un problème?

– Non, Ré, c'est parfait. Tu en as d'autres, Yo, des amis comme Ré?

– Mo.

– Mo?

– Oui, Mo... tous les trois, on fait de la musique et on s'appelle les KaillouX! Ça vous dérange?

– Non, non, pas du tout, répond *Rodger* pour me calmer. Les KaillouX, c'est parfait. De quoi il a l'air, Mo ?

– Comme nous… mais en plus jeune !

– Où est-il ?

– Il nous attend chez lui… pour notre répétition des KaillouX.

Enfin, un peu exaspéré, j'ajoute :

– Et on est inséparables ! Salut !

Déjà, on est partis.

– Attendez ! lance *Rodger*. J'ai quelque chose à vous proposer.

Du coup, on s'arrête.

– À tous les trois, je veux dire ! ajoute-t-il.

On se retourne.

Nous voyant hésiter, il comprend qu'il ne peut pas nous offrir n'importe quoi. Pendant quelques secondes, il nous scrute des pieds à la tête tout en se massant le menton. Pas étonnant qu'il soit si gros... son menton, je veux dire. Enfin, le *Rodger* nous expose son idée.

Nous l'écoutons attentivement...

Plus il parle, plus nos yeux deviennent grands.

Parce que, vraiment, tu parles d'une proposition! C'est une offre qu'on ne peut pas refuser. À la fin, Ré et moi, on se regarde. Wow! Mo va être d'accord, c'est certain. C'est trop beau pour être vrai!

Et d'un seul mouvement, sans réfléchir, on lui lance:

– D'accord, monsieur *Rodger*! On va être là! Promis!

Le petit gros replante alors son cigare entre son nez et son menton.

– Bravo ! s'exclame-t-il du coin de la bouche. Marché conclu !

Sous l'effet d'un ultime gonflement, les couleurs de son habit se mettent à reluire au soleil. Il est vraiment très content, le monsieur…

Un peu trop à mon goût.

Et là, curieusement, c'est moi qui me dégonfle un peu… et un drôle de doute m'envahit. Peut-être qu'on n'aurait pas dû accepter si vite. On va tellement avoir l'air fou…

– Soyez là à midi tapant, hein ! insiste *Rodger*. J'appelle tout de suite mon équipe pour que tout soit prêt pour vous.

– Oui, oui ! je fais. Mais ça va dépendre de Mo, hein ! Nous autres, les KaillouX, on fait tout ensemble !

– D'accord, dit *Rodger*. Soyez convaincants ! Je compte sur vous.

Voyant qu'il ne comprend rien, je termine en lançant:

– *Rodger and Out*!

– Ha! Ha! Ha! Tu es drôle, toi.

– M'énerve! me chuchote Ré pendant qu'on s'éloigne en direction de chez Mo.

Puis, au bout d'un moment, il ajoute:

– On va avoir l'air fou.

– T'inquiète pas, Ré. Mo va jamais accepter. Ç'a pas d'bon sens, c't'affaire-là!

J'ai beau raconter à Mo l'engagement stupide que Ré et moi venons de prendre avec le *Rodger* du parc, le petit têtu n'arrête pas de s'emballer:

– Super, les gars! On va être célèbres! Tu parles d'une belle pub pour les KaillouX!

– Mais, intervient Ré, on va avoir l'air de quoi ? Toute l'école va rire de nous autres !

– Jamais de la vie ! rétorque Mo. Ils vont être jaloux, moi, je dis. Pis on va *flasher* au boutte !

Pour ça, oui, on va *flasher* !

– En plus, poursuit Mo, rien que pour la récompense promise par votre *Rodger*, on peut pas refuser ça !

Là, j'avoue.

Je me retourne vers Ré. Visiblement, lui aussi est en train de ramollir sous les arguments de Mo, qui nous achève avec une dernière question :

– Vous avez peur de quoi ?

Alors là, non !

– C'est bon, Mo, on va y aller. En attendant, on a deux heures de répétition.

– Qu'est-ce qu'on fait? demande Ré.

– On devrait essayer *California Dreamin'*! propose Mo.

Méchant Maurice! Il est vraiment très fort.

Midi moins cinq.

Tous les trois, comme convenu avec Roger Brûlé, on se présente au parc. Une immense roulotte aux couleurs de la revue *QuéBelle* est maintenant stationnée non loin, arrimée à un gros camion. La limousine blanche, à côté, a l'air d'une Coccinelle. Quelques dizaines de curieux se sont groupés autour de l'arbre sous lequel j'étais assis ce matin. Des éclairs de lumière éclaboussent le dessous des feuilles.

Intrigués, nous approchons. Nous nous frayons un chemin parmi la petite foule...

Au milieu des badauds, Fabiola, toujours en robe longue, est assise sur mon banc, en plein soleil, dans une pose de vedette. Des *flashes* sur pied la mitraillent d'éclairs, pendant qu'un homme tourne autour d'elle en la photographiant sous tous ses angles. À côté, *Rodger* observe la scène d'un air satisfait, un grand parasol à la main. Quand le photographe lui indique qu'il a terminé, il s'empresse d'aller protéger Fabiola des rayons du soleil pendant que les gens applaudissent poliment.

Qu'est-ce qu'on est venus faire ici ?

Pendant un moment, on observe l'opération. Pour chaque série de clichés, obéissant aux suggestions du photographe, la top modèle prend une nouvelle pose, parfois debout, parfois assise. Une maquilleuse s'empresse ensuite de venir la repoudrer, lui donner un petit coup de peigne et rajuster son diadème. Quand elle est prête, *Rodger* se retire avec son parasol et le photographe exécute une autre rafale de *flashes* qui illuminent cette étrange Blanche-Neige... comme dans une bande dessinée.

– Vous êtes prêts ? nous demande *Rodger*, qui vient de nous apercevoir.

– Super prêts ! lance Mo, sans hésiter.

– Bien. Rendez-vous dans la roulotte *QuéBelle*, là-bas. Mon équipe vous attend. Ce sera votre tour dans une heure.

– Une heure ! s'exclame Mo. Mais on est prêts, là, tout de suite !

– Non, mon petit. D'abord, vous devez...

– « Petit » vous-même ! l'interrompt Mo.

– Ne te fâche pas, répond *Rodger*, sur un ton plus doux. Tu comprends, c'est pour un magazine de mode... tout doit être parfait... il faut vous préparer... vous faire beaux...

– Beaux! bondit Mo. On est les KaillouX! Il faut nous prendre comme on est!

Il a du caractère, Mo. S'il se met en colère contre Roger Brûlé, peut-être qu'on va échapper au ridicule qui nous attend. Malheureusement, *Rodger* lui assène l'argument choc:

– Tout ce que j'ai promis vous attend dans la roulotte... allez, dépêchez-vous!

Du coup, Mo nous lance:

– *Let's go, gang*!

Déjà, il court vers la roulotte *QuéBelle*. Ré et moi, on traîne les pieds pendant qu'il disparaît à l'intérieur, là-bas. Avant même qu'on arrive, il rebondit dehors avec une planche à neige aux couleurs incroyables.

– Hey! Les gars! C'est des SnowFizzz flambant neuves!

Ré et moi, on fige sur place, éblouis par les dessins étourdissants qui décorent la planche.

– Et les bottes sont super! lance Mo. C'est des Mercury qui pèsent presque rien!

Il replonge dans la roulotte et en ressort en brandissant une botte de ski en forme de navette spatiale.

– C'est rien, ça! poursuit Mo, dans son enthousiasme délirant. Vous avez pas vu les lunettes! Des ViewMasters 180!

Vif comme l'éclair, il disparaît dans la roulotte et en ressort avec une grosse tête d'abeille. Ré et moi, on sursaute devant la bibitte qui vient de surgir. Une immense visière-miroir lui cache tout le haut du visage. Le volume de son crâne a doublé! Dans le reflet, Ré et moi, on peut même se voir, avec, derrière, tout le parc qui se déploie sur 180 degrés!

Inépuisable, Mo achève de nous étourdir en annonçant:

– Et les gants, c'est des GripTight... pis les habits, vous le croirez pas... C'est du Cosmos 3000!

– Penses-tu qu'on va être meilleurs en planche à cause de tout cet attirail?

Une heure plus tard, notre trio descend de la roulotte et plonge en habit de neige dans le torride soleil de juin, vêtu des pieds à la tête pour aller faire de la planche... ou pour monter dans une fusée vers la Lune!

Dans notre accoutrement argenté, on doit avoir l'air de trois astronautes.

Rodger est là pour nous accueillir.

– Wow! Les KaillouX! Parfait! Des vrais top modèles!

Je serre les dents pendant qu'il nous invite à nous diriger à l'autre bout du parc, où des techniciens ont assemblé une plateforme verte surmontée d'une immense toile, verte également et haute d'au moins trois mètres. Les curieux de tout à l'heure se sont rassemblés autour... un peu plus nombreux, on dirait. Heureusement, avec nos ViewMasters 180 dans la face, pas de danger qu'on nous reconnaisse.

Gantés de GripTight, nous arborons fièrement chacun notre super planche SnowFizzz. Mais, dans l'herbe du parc, ce n'est pas facile de marcher avec de grosses bottes Mercury. J'ai l'impression d'avancer comme un robot mal synchronisé. En plus, le soleil de midi tape fort et *Rodger* n'a même pas son parasol. Il l'a donné à sa Fabiola, là-bas, à côté de la plateforme verte...

Déjà, je cuis dans mes habits d'hiver et on n'a même pas parcouru la moitié de la distance. Je jette un coup d'œil du côté de mes deux amis. Ça n'a pas l'air d'aller mieux. Dans leur costume d'abeilles chromées et bottées, Ré et Mo se déhanchent comme ils peuvent, jambes raides et derrière sorti. Tout un défilé de mode ! Je ne dois pas avoir l'air plus intelligent. Devant nous, la foule s'écarte pour nous ouvrir la voie vers la plateforme. Là, caméra en main, le photographe nous attend, entouré de sa demi-douzaine de lampes éclair sur pied... et secondé de la maquilleuse.

De peine et de misère, je pose une botte Mercury sur la plateforme... puis je soulève l'autre. Dans mon Cosmos 3000, je suis déjà trempé comme une lavette. De la buée se forme à l'intérieur de mes ViewMasters 180. Une fois debout, je me retourne et c'est dans le flou que j'aperçois Ré et Mo qui grimpent à leur tour. Mo, plus petit, n'arrive pas à soulever sa Mercury assez haut. Après plusieurs tentatives ratées, il doit se résoudre à rouler sur la plateforme. À quatre pattes, il doit maintenant se relever. Pas facile. En équilibre sur le devant de ses semelles, il va basculer sur les talons et tomber à la renverse, c'est certain... Non! Ré le rattrape de justesse et le repousse à la verticale sur ses deux navettes spatiales. Mo se penche alors pour ramasser sa SnowFizzz, mais il n'y arrive pas parce que ses GripTight sont trop grands pour lui... et le revoilà à quatre pattes! J'ai vraiment très chaud.

Finalement, au bout de longues secondes, les deux zombis viennent me rejoindre en battant des coudes. Sur le contreplaqué de la plateforme, leurs bottes font *Ka-Klonk! Ka-Klonk! Ka-Klonk!* J'entends l'écho me revenir du fond du parc. J'ai chaud et j'ai honte!

Nous voilà maintenant au beau milieu de la plateforme. La foule, autour, se fait de plus en plus nombreuse. À côté, Blanche-Neige, sous son parasol, nous regarde en souriant. On doit vraiment avoir l'air de trois patates au four dans nos habits argentés. J'ai chaud, j'ai honte et j'enrage! À l'intérieur de mes

ViewMasters 180 embuées, je *bouille*! Ce beau samedi avait si bien commencé… si calmement… avec ma belle *Légende d'Asturias* d'Isaac Albéniz. Avoir su…

Mais maintenant, on ne peut plus faire marche arrière.

– Veuillez reculer, s'il vous plaît.

C'est le photographe qui vient de parler.

– Oui, tous les trois, placez-vous devant la toile verte… le petit au milieu.

– C'est qui, le petit? demande Mo.

– On va dire que c'est toi, d'accord? fait l'homme, habilement. Allez, tous les trois, en place!

Obéissant afin que ça finisse au plus vite, je me déhanche jusqu'au pied de la grande toile verte. D'après le vacarme des bottes sur le contreplaqué, Ré et Mo me suivent, pas de doute.

80

– Maintenant, poursuit le photographe, posez vos planches par terre, dans ma direction... et bien dans les marques... puis enfilez vos bottes dans les sangles.

J'entends Ré qui maugrée.

Péniblement, nous nous exécutons. La maquilleuse doit aider Mo, qui ne fait que s'empêtrer avec ses gros gants. Une fois debout, nous voyons s'approcher un ouvrier muni de ferrures, de vis et d'un vilebrequin électrique. À nos pieds, il s'affaire à river nos planches à la plateforme...

Nous voilà vissés au plancher!

La maquilleuse en profite pour nous assécher les joues et nous poudrer le bas de la figure. Dans ses mains, elle tient trois tuques avec un pompon rouge. Ça, c'est la cerise sur le *sundae*! Tous les trois, on va avoir l'air d'un *banana* split géant, c'est certain. Noooon! Mais trop tard. On ne peut plus se sauver.

Sentant mes réticences, la maquilleuse m'explique qu'il faut porter ces tuques parce que la marque Cosmos 3000 est brodée dessus.

Coiffé comme un cornet, je jette un autre coup d'œil en direction de Blanche-Neige. *Rodger* est venu la rejoindre sous le parasol, le cigare enfoncé là où vous savez.

– Maintenant, commence le photographe, imaginez que vous êtes en haut du mont Blanc...

– Le mont Blanc! s'étonne Ré. Où ça?

– Ré! Pose pas de questions qu'on en finisse au plus vite! je rétorque, un peu raide.

Mais le photographe a décidé de lui répondre :

– Tu vois, Rémi, tout ce vert derrière toi. Eh bien, sur les photos, tout ce vert va devenir un décor grandiose. Le mont Blanc ! Dans les Alpes françaises !

Pas du tout impressionnés, on reste plantés là, comme trois piquets.

– Pourquoi on fait pas ça à l'intérieur ? demande Mo.

Non ! Pas encore une question !

– En studio, explique patiemment le photographe, c'est impossible de recréer la vraie lumière du soleil et...

– Alors, les *flashes*, c'est pourquoi ?

– C'est pour atténuer les ombres, tu comprends ?

– Oui, oui, on comprend ! j'interviens, à bout de nerfs. Quand est-ce qu'on commence ?

– Vous êtes prêts ?

– Oui, oui ! On est prêts !

– Bien. Alors imaginez que vous êtes sur le mont Blanc, à plusieurs kilo-mètres d'altitude, et que vous allez faire la descente de votre vie !

– Y a même pas d'pente ! bougonne Ré.

– Y a même pas d'neige ! ajoute Mo.

Devant notre manque d'enthousiasme, le photographe commence à perdre patience. Il se retourne vers *Rodger*... ce qui lui donne une nouvelle idée.

– Monsieur Brûlé m'a dit que vous étiez inséparables ! nous lance-t-il.

Je me redresse, soudain intéressé.

– Eh bien ! poursuit-il. Il faut montrer votre fougue, maintenant... montrer que vous n'avez peur de rien...

84

Et il poursuit en montant le ton :

– Il faut montrer que vous êtes capables de faire du *snow* extrême dans les pentes les plus dangereuses... et, surtout, que vous êtes inséparables... que vous êtes, comment dire... que vous êtes des vrais...

Il ne complète pas sa phrase. Il soulève son appareil. Il le braque sur nous. Dans mon Cosmos 3000, je crève de chaleur. Et il répète :

– Que vous êtes des vrais...

– Des vrais quoi ? je lance, exaspéré.

Et là, tout en appuyant sur le déclencheur, il nous crie :

– Des vrais KaillouX ! Allez, tous les trois ! Pliez les genoux !

Piqué au vif, aveuglé par une première rafale de *flashes* et voulant en finir au plus vite, je m'accroupis en écartant les bras.

– Oui! C'est ça! Écartez les bras! La descente commence! Attention! Penchez vers la gauche... puis vers la droite... Bien! Bravo! Encore à droite! Oui! C'est une longue courbe à droite! Attention! À gauche, maintenant! Lâchez pas, les KaillouX! Vous êtes sur le mont Blanc... au sommet des Alpes... et vous prenez de la vitesse...

Oubliant que je suis vissé au plancher avec les pieds et les chevilles coincés dans des Mercury, je file sur ma SnowFizzz. Je n'ai qu'à raidir les mollets pour m'incliner presque jusqu'au sol... d'un côté... puis de l'autre. Je me penche et frôle la neige avec mes GripTight. Dans la buée de mes ViewMasters 180, je vois une pente, large et blanche à l'infini, qui s'ouvre devant moi et qui s'accentue au point de devenir vertigineuse. Je vais atteindre 100 à l'heure!

– Oui ! vocifère le photographe. C'est le *Grand Slalom* !

À chaque virage, je soulève des gerbes de neige plus hautes que les arbres. Avec de superbes courbes, je contourne les piquets qui marquent le tracé.

– Super, les KaillouX ! Vous êtes parfaitement synchronisés… et inséparables ! À gauche ! À droite ! Encore ! Encore !

Pendant de longues minutes, j'ai l'impression de dévaler la plus haute montagne du monde. On dirait que c'est vrai !

– La fin de la descente approche ! annonce le photographe. Les spectateurs sont rassemblés en bas, par milliers, pour vous acclamer.

Bombardé de *flashes*, j'accélère pour le *sprint* final.

– Oui! Oui! hurle le photographe. C'est la ligne droite!

Accroupi en position de l'œuf, je fends l'air vers l'arrivée. En franchissant le fil, je lève les bras en signe de victoire et je me penche pour freiner mon élan. Soudain, sous mes pieds, j'entends un craquement!

Les ferrures ont lâché!

Je bascule par-dessus Mo, qui arrache lui aussi sa planche du sol... et tombe à son tour sur Ré. Un dernier craquement se fait entendre...

Puis plus rien.

J'enlève mes ViewMasters 180. Des *flashes* plein les yeux, je vois l'étendue des dégâts. Tous les trois, on est couchés sur le côté, un par-dessus l'autre, comme des dominos, les bottes toujours prises sur nos planches. Un grand silence s'est fait dans le parc. Consternée par le spectacle, la foule nous regarde, bouche bée.

– Ça va? demande enfin le photographe.

Tous les trois, maintenant, on commence à se tortiller pour se remettre debout... mais on n'arrive qu'à se donner des coups de coude. Vous essayerez, vous, de vous relever sur une plateforme en bois, avec une planche à neige qui vous retient les deux pieds...

La maquilleuse doit encore nous aider.

Une fois sur pied, je jette mes GripTight par terre et je *dézippe* le haut de mon Cosmos 3000. Je suis en nage! J'ouvre les agrafes de mes Mercury et je me déchausse enfin. J'ai les chevilles en feu. Ré et Mo, comme moi, sont en chaussettes. Les cheveux collés sur la tête, grimaçants, ils se massent les mollets.

– Hé! Les KaillouX! s'exclame le photographe. Vous avez été extraordinaires! Des vrais top modèles!

Puis, se retournant vers les curieux:

– On peut les applaudir.

Sans grande conviction, les gens applaudissent, un peu gênés.

S'adressant de nouveau à nous, il ajoute:

– Vous savez quoi, les KaillouX? On n'aura pas besoin de faire une autre série de photos. Celles-là vont être parfaites!

La foule s'est dispersée. Dans la roulotte, on a retrouvé nos vêtements et récupéré nos SnowFizzz et nos nouvelles bottes Mercury. La maquilleuse nous a fait trois beaux gros sacs *QuéBelle* avec, dedans, l'habit de neige, les tuques, les gants et les lunettes. Les techniciens sont en train de démanteler la plateforme verte, là-bas. Sous leur parasol, Roger Brûlé et Fabiola se dirigent vers nous.

– Vous êtes contents? demande *Rodger*, sur le point d'exploser de satisfaction.

– Ouais, je dis, sans conviction.

– La photo va être dans notre prochain numéro automne-hiver.

– La photo! je m'étonne. Rien qu'une?

– Oui, mais elle va être spectaculaire, tu vas voir... et vous pourrez dire à vos copains que vous avez fait du *snow* dans les Alpes!

– Avec nos ViewMasters 180, personne va nous reconnaître! rétorque Ré.

– C'est vrai, ça! intervient Mo. Comment les gens vont savoir qu'on est les KaillouX?

– Eh bien, dans ce cas, propose *Rodger*, je vais demander au photographe de vous faire parvenir aussi les dernières photos...

– Les dernières photos? je demande, inquiet.

– Oui, vous savez, quand vous essayez de vous relever, à la fin... là, c'est certain qu'on va vous reconnaître.

– Non, non, laissez faire… on va se contenter de la photo dans la revue… et merci bien, hein… pour l'équipement, je veux dire… l'hiver prochain, ça va être super!

– Je vous souhaite de belles vacances d'été, lance enfin *Rodger*. Et surtout, une super belle carrière de KaillouX.

– *Rodger*! je conclus.

– Yo! me répond-il en pointant de travers son index et son petit doigt devant sa bedaine.

Surpris par ce geste, je n'ai pas vu Blanche-Neige se pencher pour me donner un bec sur la joue.

Surchargés de cadeaux, nous quittons enfin ce parc infernal. Je jette un dernier regard en arrière. Là-bas, sous un grand parasol, une longue dame et un gros ballon de plage se dirigent vers une limousine blanche. Pendant ce temps, mes deux amis rigolent...

C'est sûrement à cause des lèvres rouges imprimées sur ma joue.

Mais je m'en fiche...

Bientôt, ensemble, tous les trois, on va chanter *California Dreamin'*.

DAPHNÉ

*« La top modèle
doit être maigre, si
possible rachitique,
et très très pâle. »*

1er janvier

Cher Journal,

Si quelqu'un m'avait dit qu'un jour je rédigerais un journal, je lui aurais ri au nez. Sans vouloir t'offenser, je n'ai jamais compris pourquoi on tenait un journal. Il me semble que ça revient à se confier à soi-même des trucs que l'on sait déjà. Seulement voilà : un journal, j'en ai reçu un à Noël, toi. Ma tante Flora t'a enveloppé dans un papier rose et mauve, pas exactement les couleurs de Noël, et t'a déposé sous l'arbre. J'ai d'abord cru que c'était un livre, ce qui m'a un peu inquiétée, parce que ma tante Flora n'aime que les histoires d'amour qui finissent mal. C'était bien un livre, en effet, mais d'un genre un peu particulier, avec des pages lignées sans rien d'écrit dessus. Flora a dû voir mon air désolé, parce qu'elle a demandé : « Mon cadeau te fait plaisir, au moins ? » J'ai dit « Oui, oui », sans rien ajouter. « On dirait que tu n'es pas contente », a insisté Flora. J'ai répondu : « Les grandes joies sont muettes, ma tante ». Tellement muettes qu'elle est venue s'asseoir à côté de moi en prenant son air mystérieux des grands jours.

– Tu sais ce qu'on écrit dans un journal, Daphné ?

– Des trucs, j'imagine.

Ce qui est une réponse plus subtile que : des trucs qu'on sait déjà. Je ne veux surtout pas lui faire de la peine, mais je n'ai aucune envie de ressasser le soir ce que j'ai fait le jour et je n'ai jamais été aussi déçue de ma vie. Et pourtant, Journal, tu es très beau, avec ton papier paille, ta couverture en cuirette bronze, ton petit fermoir et ta minuscule clé dorée.

– Un journal, ce n'est pas seulement pour noter ses réflexions, ses impressions de la journée, ce qu'on a vécu, pensé.

– À quoi ça sert, alors? À noter les numéros de téléphone? Les rendez-vous? À coller des photos? Les nouveaux téléphones intelligents font tout ça, ma tante.

– Un téléphone, ça ne peut pas être intelligent, Daphné.

Je n'ai rien répondu, parce que la discussion nous aurait entraînées trop loin et à cause de l'écart des générations, qui se faisait durement sentir.

– Un journal, c'est d'abord un ami, a repris Flora.

Un ami ? Ce tas de papier vierge ? Ce livre épais de cinq centimètres avec absolument rien dedans et absolument rien à y mettre non plus ?

– Comme ami, j'ai vu mieux.

– Un journal, c'est aussi fait pour apprendre à se connaître.

J'ai passé ma vie entière avec moi-même. Je serais prête à parier ma chemise que je suis la personne que je connais le mieux. Comme si elle devinait mes pensées, ma tante a dit :

– On croit qu'on se connaît, mais c'est faux.

Là non plus, je n'ai rien répondu.

– Tu en veux une preuve, Daphné ? Qu'est-ce que tu comptes faire plus tard ?

– Voyons, ma tante ! Je suis trop jeune pour penser à ça.

– Pas du tout. C'est maintenant qu'il faut penser à l'avenir.

Sur ce, elle s'est levée et elle est allée rejoindre Désirée, qui venait de déballer un monstrueux pyjama rose avec pattes, capuchon et oreilles de lapin. Ma sœur m'a jeté un regard où se lisait un mélange d'incompréhension et de désolation. Je t'abandonne ici, Journal, parce que je suis en train d'empiéter sur le 2 janvier et parce que la déception est une expérience épuisante.

2 janvier

Cher Journal,

Ce matin, tu n'étais pas exactement à l'endroit où je t'ai déposé hier soir, ce qui me fait penser que Désirée est passée par là. Elle est curieuse, ma sœur, et je suis certaine qu'elle veut savoir ce que j'écris. J'ai eu du mal à t'ouvrir, aussi. Désirée a dû essayer de forcer la petite serrure. Heureusement, j'avais caché la clé.

Ce que je voudrais faire plus tard, a dit ma tante Flora. Je n'en ai pas la moindre idée. Mais comme tu es là avec ton papier jaune pâle qui ne demande qu'à être noirci, aussi bien essayer de faire connaissance avec moi-même.

Pendant la nuit, j'ai longuement réfléchi à la question et j'en suis arrivée à la conclusion que des tas de métiers me tentent : missionnaire en Alaska, professeur de langue inuktitut, libraire au Tibet, conductrice de TGV. Alors j'ai décidé de prendre la question par l'autre bout. Quels sont les métiers que je n'aimerais absolument pas exercer. J'ai longuement réfléchi à cette question-là aussi et j'en ai trouvé deux : *conductrice de ligne de fabrication ou de conditionnement des produits issus de l'industrie agroalimentaire* et *top modèle*.

Je n'ai pas trop envie de m'étendre sur le premier métier. Disons simplement que transformer les produits agricoles pour les rendre comestibles nécessite une vigilance de tous les instants dont je me sens incapable. Il faut faire attention aux mulots, aux rats, aux oiseaux, aux insectes, bref aux milliers de petites bêtes aussi friandes que nous des produits de la terre, ne pas abuser des engrais chimiques à cause de la pollution, se méfier des OGM, craindre la sécheresse autant que le pourrissement, ce qui signifie arroser quand il ne pleut pas, assécher quand il pleut trop. Rien que d'y penser, j'ai le vertige.

En ce qui concerne le top modèle, je te reviens demain. Et pour éviter que ma sœur vienne encore fourrer son nez dans mes affaires, je te cache dans mon tiroir à chaussettes, celui dans lequel elle ne fouille jamais parce que, dit-elle, « plutôt mourir que mettre mes mains dans cet écœurant tas de vieille laine pleine de trous. » Ne te formalise pas, surtout.

3 janvier

Cher Journal,

J'ai passé une autre nuit à réfléchir. Voici ma conclusion : même si je ne pense pas avoir les compétences requises pour l'agroalimentaire, nourrir la population me semble plus gratifiant que d'être top modèle. Top modèle est donc le métier que je n'exercerais pour rien au monde. Pour trois raisons principales :

1. L'aspirante top modèle doit être anorexique ou, si elle ne l'est pas déjà, essayer très fort de le devenir. Mourir de faim est une condition *sine qua non* pour avoir le droit d'être photographiée, habillée ou non. C'est sûrement à cause des appareils photographiques qui ont une fâcheuse tendance à tout grossir. La top modèle doit être maigre, si possible rachitique, et très très pâle. Moi, j'aime énormément manger. C'est un plaisir qui revient trois fois par jour, qui n'est pas fatigant du tout et ne nécessite aucun talent particulier. On n'a qu'à ouvrir la bouche et laisser descendre la nourriture au fond de son estomac. C'est fantastique.

2. La top modèle vit constamment à contretemps des saisons, c'est-à-dire à l'inverse des gens normaux.

En plein été, il faut préparer la saison hivernale, alors les mannequins doivent se faire photographier en manteau de fourrure par une chaleur de 30°C et l'hiver, c'est le contraire : les filles doivent poser de longues heures en bikinis à − 30°C. Comme elles ne mangent pas beaucoup, elles manquent affreusement de calories, ce qui fait qu'elles ont encore plus froid. Toutes les maladies en -ite (sinusite, bronchite, rhinite, pleurite) en profitent alors pour se jeter sur elles. Leurs yeux pleurent, leur nez rougit, et c'est toute une histoire ensuite de maquiller tout ça pour les faire redevenir pâles.

3. Quand la top modèle se fait vieille, c'est-à-dire quand elle dépasse les 27 ou 28 ans, on la jette comme une vieille chaussette pleine de trous et on la remplace par une anorexique

plus jeune. On considère qu'à cet âge avancé, les rides, les pattes d'oie et les bourrelets commencent à se remarquer (je ne vois pas quels bourrelets peut avoir quelqu'un qui ne mange pas, mais bon). À cet âge, c'est très difficile de trouver un nouvel emploi, surtout si on ne sait rien faire d'autre. Beaucoup de vieilles top modèles se découragent et, parce qu'elles n'ont rien d'autre à faire, deviennent soudainement boulimiques. La boulimie, c'est le contraire de l'anorexie. C'est se mettre à manger sans pouvoir s'arrêter et être tellement découragé de le faire qu'on mange encore plus. Une spirale infernale. Le problème, c'est que l'estomac des vieilles top modèles n'est pas du tout préparé à recevoir de telles quantités d'aliments. Alors elles développent d'autres maladies en -ite, comme la colite et la diverticulite, sans parler des ulcères, des ballonnements et des allergies. Si, entre-temps, les pauvres top modèles n'ont pas eu le temps de guérir de leur bronchite ou de leur pleurite, je te laisse imaginer, cher Journal, l'état lamentable dans lequel elles se retrouvent, un état qui, soit dit en passant, n'aide pas du tout à trouver un nouvel emploi.

Voilà pour les trois raisons. Il y en a une quatrième, plus importante, plus grave : ma sœur Désirée a de sérieuses prédispositions pour le métier de top modèle. Chaque fois qu'elle s'achète des vêtements, c'est-à-dire à longueur d'année ou presque, elle les enfile et parade devant nous au salon pendant des heures. Mes parents et moi, on a toutes les peines du monde à suivre l'émission de télévision. Cette fois, je soupçonne ma sœur de vouloir se présenter au concours *Mannequins d'un jour*. Chaque année, au printemps, les grands magasins organisent un défilé de mode pour leurs collections d'été. Le concours est ouvert aux filles et aux garçons du secondaire et leur donne l'occasion de se familiariser avec le métier de mannequin, au cas où ils projetteraient de devenir anorexiques. Je dois donc développer une stratégie pour détourner ma sœur d'un projet aussi dommageable pour sa santé. Sans parler de son moral.

Bonne nuit, Journal.

10 janvier

Salut!

Oui, je sais, je t'ai fait faux bond pendant presque une semaine. Mais il faudra t'y faire. Ce n'est pas parce que tu as prévu une page pour chaque jour de l'année qu'il faut à tout prix la remplir, cette foutue page! Que je sache, on vit dans un pays libre et ce n'est pas un tas de papier vierge qui va me dicter la conduite à suivre, sapristi!

11 janvier

Cher Journal,

J'ai eu le temps de décompresser et je suis désolée pour hier. Je ne cherchais pas du tout à t'insulter, mais tu comprendras que toutes ces pages vierges créent une pression qui finit par taper sur les nerfs. Comme si je négligeais un ami ou quelqu'un que j'aime. Cela dit, si j'ai pris autant de temps à te revenir, c'est qu'il me fallait effectuer certaines vérifications au sujet de ma sœur. Et, après une semaine d'observation, mes pires soupçons se confirment : Désirée ne mange pas à sa faim. Désirée est en bonne voie de devenir anorexique, Désirée est en train de devenir top modèle.

Le matin, c'est tout simple, elle n'avale rien. Elle traverse la cuisine le nez en l'air comme si la nourriture ne la concernait pas ou comme si elles s'étaient disputées. Je dois donc multiplier les tentatives pour les réconcilier. Ce matin, j'ai beurré de Nutella deux énormes tranches de pain et, mine de rien, j'ai suggéré à Désirée de s'asseoir à table à côté de moi pour qu'on puisse échanger entre sœurs, mon idée étant évidemment de lui refiler une des deux tranches, la plus épaisse. Sa réponse a été assez brutale :

– Échanger quoi ?!

Je n'ai pas su quoi répondre.

17 janvier

Ce matin, j'ai procédé autrement. Le Nutella a beau être très nutritif avec ses protéines de première qualité, ses noix et son chocolat antioxydant, son aspect et sa texture peuvent avoir quelque chose de rebutant pour une personne habituée comme ma sœur à se satisfaire d'une moitié de carotte, d'un quart de céleri et de graines de citrouille.

J'ai donc usé de ruse. J'ai rempli un gros bol de céréales, j'ai ajouté du lait et des noix pour les protéines, des tranches de banane pour le phosphore, des raisins secs pour le magnésium et des tonnes de graines de citrouille pour je ne sais pas trop quoi. J'ai attendu que ma sœur se pointe pour me lever de table en vitesse et empoigner mon sac à dos.

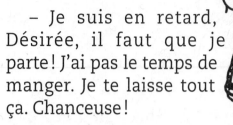

– Je suis en retard, Désirée, il faut que je parte ! J'ai pas le temps de manger. Je te laisse tout ça. Chanceuse !

Arrivée dans le vestibule, j'ai tendu l'oreille pour voir si mon plan fonctionnait. Comme je n'entendais rien, je suis revenue sur mes pas. Ma sœur fixait le bol de céréales.

– Tu vas pas laisser tout ça, Désirée. T'es contre le gaspillage. Pense aux petits Noirs d'Éthiopie. Eux seraient sûrement contents de...

Je n'ai pas eu le temps de terminer ma phrase. Désirée a saisi le bol et vidé son contenu dans la poubelle.

– Premièrement, a-t-elle déclaré, je sais pas où tu es allée chercher que j'étais contre le gaspillage. Deuxièmement, je mange pas dans les gamelles des autres et, troisièmement, ton mélange est dégoûtant.

Bon, je dois à la vérité de dire que la mixture était d'un drôle de gris et pas franchement appétissante. Mais tu avoueras, Journal, qu'il y a parfois de quoi se décourager de vouloir décourager les aspirantes top modèles.

2 février

Cher Journal,

Désirée maigrit à vue d'œil. C'est désolant. J'ai donc dû modifier encore une fois ma stratégie. Puisque la nourriture la rebute à ce point, je dois essayer de la nourrir par des voies détournées. Entreprise hasardeuse s'il en est, parce qu'à l'égard des aliments, Désirée exerce une vigilance de tous les instants. N'entre pas qui veut dans son précieux estomac.

Chaque jour depuis une semaine, je glisse dans son sac à main un petit quelque chose, une barre tendre (parmi les moins sucrées avec supplément de protéines), un sachet d'arachides, de petits bouts de fromage, de petits bouts de carotte. Je me dis qu'un jour, elle va finir par avoir tellement faim qu'elle va les manger sans se poser de questions.

Le soir, je fouille discrètement dans son sac. Je te le donne en mille, Journal : les provisions disparaissent chaque fois.

J'espère que tu vas bien, que tu te plais en ma compagnie et que le tiroir à chaussettes ne te déprime pas trop. Comme tu le vois, je n'écris pas tous les jours, mais est-ce qu'on voit ses amis tous les jours ? Non. Flora a peut-être raison. Tu es presque devenu un ami, un confident. Pour le dialogue, on repassera, mais pour le reste, tu es parfait.

7 février

Quelle déception, Journal ! Ce matin, en me rendant à l'école, j'ai vu un monsieur fouiller dans une poubelle et en retirer toutes sortes de choses comestibles. Des barres tendres (les moins sucrées avec supplément de protéines), des sachets d'arachides, des bouts de fromage, de carotte. Tout ce que j'avais déposé dans le sac de Désirée.

20 février

Cher Journal,

Les éliminatoires pour le concours *Mannequins d'un jour* vont avoir lieu dans quelques jours. Ma sœur va sûrement y participer. Je l'ai surprise l'autre jour en train de se regarder dans la glace et de prendre des poses. Elle passe une bonne partie de sa vie devant les miroirs, je sais, mais là, c'était différent. Il y avait dans ses yeux quelque chose de nouveau, d'appliqué, une tension nouvelle. Elle se regardait comme si ce qu'elle voyait ne lui plaisait pas beaucoup. Et pourtant, elle est belle, ma sœur. À part son cou de poulet et ses clavicules saillantes, évidemment.

24 février

Cher Journal,

La nuit dernière, j'ai entendu Désirée pleurer. Je suis allée dans sa chambre et je me suis assise à côté d'elle.

– Toi, t'as pas de problème, Daphné. Tu t'empiffres à longueur de journée et t'as toujours l'air d'un squelette !

Si je m'attendais à un tel compliment !

– Moi, je regarde un radis et je grossis. Et puis j'ai tellement faim ! a-t-elle ajouté.

Je suis descendue à la cuisine sur la pointe des pieds et je suis revenue avec deux verres de lait et une pleine boîte de biscuits Oréo. J'ai dit:

– La première qui finit la boîte est exemptée de vaisselle pendant un mois.

Tu aurais dû voir ça, Journal. Ma sœur s'est emparée de la boîte et a avalé coup sur coup 14 biscuits. Ensuite, elle a vidé son verre de lait et le mien par-dessus. Je ne sais pas si elle a engouffré tout ça à cause de la vaisselle ou parce qu'elle mourait de faim, mais ça m'a soulagée un peu. Soulagée et peinée en même temps. Malgré moi, j'ai pensé que ma sœur devenait boulimique, ce qui pourrait signifier qu'elle est peut-être déjà vieille, qu'on peut la jeter comme une vieille chaussette et la remplacer par une plus jeune. Dix minutes après être allée me recoucher, j'ai entendu

Désirée qui se levait, se rendait à la salle de bain et vomissait les 14 biscuits et les 2 verres de lait.

2 mars

Cher Journal,

Désirée a passé la première épreuve. Elle va participer au défilé de mode, mais à une condition : d'ici au mois de mai, elle doit prendre cinq kilos. Les responsables du concours ont trouvé qu'elle avait tout ce qu'il fallait pour présenter leurs collections, mais qu'elle était trop maigre. Ils ont dit qu'ils avaient besoin de filles en CHAIR (ils ont beaucoup insisté sur le mot) et en os, et non de cintres ambulants. À part le fait que je n'aime pas que l'on compare Désirée à un cintre ambulant, c'est une très bonne nouvelle parce qu'à présent, je n'ai plus à me casser la tête pour l'inciter à manger.

20 mars

Cher Journal,

Ma sœur grossit à vue d'œil. En deux semaines, elle a pris trois kilos. Les clavicules sont un peu moins visibles, mais l'effet « cintre ambulant » est toujours là. Pour accélérer encore le processus, j'ai déposé quatre bottes de radis sur la table. Si Désirée grossit rien qu'en regardant un radis, imagine quatre bottes !

25 mars

Désirée a encore grossi. Trois nouveaux kilos. Son visage s'arrondit, ses hanches aussi. Je ne sais pas si les radis y sont pour quelque chose mais, ce matin, je les ai retrouvés dans la poubelle. Quoi qu'il en soit, la condition pour pouvoir participer au concours est remplie. C'est déjà ça.

6 avril

Désirée a pris deux kilos additionnels. Je ne la reconnais plus. Elle mange sans arrêt, dévore tout ce qui lui tombe sous la main, même les nouveaux radis que je viens d'acheter. Il reste deux semaines avant le défilé.

16 avril

Aujourd'hui ont eu lieu les premiers essais en présence des élèves. Les organisateurs voulaient voir comment les candidats se débrouillent devant un public. Pendant une heure et demie, garçons et filles ont déambulé en shorts et maillots de bain sur une estrade dressée en plein milieu de la classe. Quand le tour de Désirée est venu, les organisateurs se sont étonnés de la transformation. Ils lui ont dit qu'elle s'en tirait très bien côté maintien et démarche, mais qu'elle avait à présent une légère surcharge pondérale et qu'il lui faudrait perdre «ces quelques kilos superflus qui alourdissent malencontreusement la silhouette». J'avoue que je me suis énervée : «Vous êtes pas des élastiques qu'on étire et comprime à volonté, Désirée! Vous êtes pas du bétail non plus! Ils vont tout de même pas vous peser!»

22 avril

Ma sœur ne mange plus du tout. Elle a déjà perdu deux kilos. Retour à la case départ. Je suis désespérée.

26 avril

Et puis, la catastrophe! Désirée a attrapé une bronchite doublée d'une rhinite. Elle éternue toutes les deux minutes, son nez coule et elle a une extinction de voix. Tout ça à cause du manque de calories. Le défilé, le vrai, est dans huit jours.

30 avril

La broncho-rhinite a été suivie d'une conjonctivite. Les yeux de Désirée picotent et coulent à l'unisson avec le nez. Ma sœur ne respire plus, ne dort plus, ne mange plus. Elle a perdu trois autres kilos. Quand elle se regarde dans le miroir, elle pleure, ce qui fait gonfler ses yeux encore plus. Demain, le défilé.

1er mai

Je n'ose même pas décrire la Désirée qui a fait irruption dans la cuisine ce matin. Deux yeux larmoyants, une figure rouge et congestionnée surmontée d'une broussaille de cheveux bleus. Comme chaque fois que ma sœur participe à un concours, mes parents se sont empressés de faire de l'air. Parce qu'en général, c'est le branle-bas de combat dans la maison.

Désirée engueule le séchoir qui ne sèche pas, le fer à friser qui ne frise pas, le mascara qui fait des pâtés, le rouge à lèvres qui coule... Pas ce matin. Ce matin, Désirée est arrivée dans la cuisine ni coiffée ni maquillée et m'a demandé de l'accompagner au défilé. J'ai dit : « T'es certaine, Désirée ? » Elle a répondu : « Regarde-moi bien aller ! » Ensuite, elle a crié un « Salut ! » retentissant à l'adresse des parents cachés derrière le canapé du salon et on est sorties.

Le défilé se déroulait dans le hall d'un grand magasin, plein à craquer. Les vitrines des boutiques étaient recouvertes de photos de mannequins, de fleurs en papier et de papillons multicolores censés souligner l'arrivée du printemps. On avait recouvert le podium d'un tapis de faux gazon et semé un peu partout des palmiers en plastique. Les mannequins d'un jour se tenaient au pied des marches, tremblants, nerveux, coiffés, maquillés, pimpants. À côté, ma sœur ne faisait pas le poids, dans tous les sens du terme. J'ai dit: «Viens, Désirée, on s'en va.» Elle m'a souri et elle est montée sur le podium, avec sa broussaille bleue, ses yeux rouges et son nez qui coulait. Elle a attendu que le silence se fasse et, avant que les organisateurs aient le temps de comprendre ce qui se passait, elle a déclaré que plus jamais elle ne participerait à un concours aussi stupide où il fallait grossir et maigrir comme si on était du bétail et que pour rien au monde elle n'accepterait de monter sur une balance parce qu'elle n'était pas un élastique.

C'était presque réussi.

Ensuite, elle m'a regardée et elle a crié assez fort pour que tout le monde entende: «Une pizza garnie grand format, ça te dit, Daphné?»

Ça, c'était parfaitement réussi!

2 mai

Cher Journal,

La pizza était bonne, Désirée un peu triste et sans beaucoup d'appétit. «Tu crois que je pourrai me réessayer l'an prochain, Daphné?» Je l'ai regardée. Ma sœur, mon unique sœur, qui aime le clinquant, le vernis, qui n'aime pas lire, ne mange pas, n'aime pas beaucoup penser et a les cheveux bleus. Mais elle est comme ça. Et je l'aime, pas de doute.

– Sûrement, Désirée.

– J'ai insulté les organisateurs, ils vont pas vouloir me reprendre.

– Arrangée comme t'étais, Désirée, personne t'a reconnue, crois-moi.

Elle a souri. Des fois, je me dis que je devrais peut-être oublier l'Alaska, l'inuktitut, le Tibet, les TGV et devenir conductrice de ligne de fabrication ou de conditionnement des produits issus de l'industrie agroalimentaire. Comme ça, je serais certaine de pouvoir alimenter ma sœur si l'envie devient trop forte de devenir top modèle.

Le Trio rigolo

AUTEURS ET PERSONNAGES :

JOHANNE MERCIER – LAURENCE
REYNALD CANTIN – YO
HÉLÈNE VACHON – DAPHNÉ

ILLUSTRATRICE : MAY ROUSSEAU

www.triorigolo.ca

MARQUIS

Québec, Canada

RECYCLÉ
Papier fait à partir
de matériaux recyclés
FSC® C103567

Imprimé sur du papier Enviro 100% postconsommation
traité sans chlore, accrédité ÉcoLogo et fait à partir de biogaz.